辛鬱・輕裝詩集

生活是詩的礦源

——讀《輕裝詩集》兼談作者辛鬱

魯蛟

在當代比較資深的詩人群裡，我們的朋友辛鬱，是一位詩思沛發詩藝早成的詩人。遠在民國四十九年十一月十四日，寄給我他的處女詩集《軍曹手記》時，我就在該集的內頁裡，寫下了這樣的短語：「辛鬱是早熟的詩人，產量多，詩質好，吾不及也！」

民國四十年代初，他就以一個來自軍中的青年詩人身分，步入詩壇。接著，他的名字便星顆般的，在台灣的各個詩刊詩頁上閃爍起來（多年後，又擴大到兩岸三地和世界華文詩刊物）。當時，辛鬱才二十左右。這是他詩生命的起點。自此之後，除了在經營事業難以抽暇的短暫階段外，他的詩時光、詩歲月，始終是明亮而豐實的。

辛鬱才氣夠詩智高，觀察敏銳、感悟聰靈，很容易孕詩，因此，他的詩創作經常是高量的，在發表的路徑上，不愁無詩。不但如此，他手上經常還有餘糧「庫存」。量多時，會自刻鋼板，油印成疊或成冊，分贈好友「指教」。民國四、五十年代，我就是他這種油印詩作的讀者。

晚年裡，沒有工作壓力，日子幸福美滿，詩思澎湃，詩孕頻頻，在二〇三年之始，便「一日一詩」起來。這就是《輕裝詩集》誕生的緣由。

* * *

詩必言志，也必抒情，辛鬱都在這個集子裡忠實的實踐了。特別是在人際關係——亦即友情和親情方面，用筆頗深，值得我們觀察和探討：

先談友情方面：

辛鬱一生，與詩結緣，和文學藝術締交，這些行界裡的好友滿天下，是他生命中很重要的一塊。因此，入其詩的人士很多，在他這半年的詩作中，就有二十餘人次。如大荒、楚戈、羅門、周夢蝶、尉天驄、朱為白、張之潔、張堃，以及《科學月刊》的同仁、韓國詩人許世旭、音樂界的李泰祥、歌唱名家高凌風。甚至連早已離世的外國藝術名家如米羅、莫內等他也論及。其中楚戈和米羅各入詩三次、羅門和周夢蝶各二次。詩雖短小，寓意卻濃密深長。請看他寫楚戈：

〈友情常青——再憶楚戈〉

雖然弦斷／音仍在／懷念裡的長空／鳥跡縱然無存／卻仍有一條無形的鳥道／穿連

一〇三．三．三

楚戈和辛鬱相交近甲子，是辛鬱心目中至友裡的至友，好朋中的好朋。六行詩句六行淚，滴滴是真情。

看他寫羅門：

〈祝願——再致老友羅門〉

在對自己的檢定裡／悄悄移動一下指針吧／老友

請謹記獨一非無二／這世界有太多未知／等待開發

它包括／一座自己全新的真身

一〇三．四．十九

辛鬱和羅門的交往，略晚於楚戈，亦係老友。羅門個性剛直，出言爽快，辛鬱憂其有失，以詩相諫，可佩。

＊＊＊

再談親情詩作：

辛鬱在寫了詩壇藝界的多位人士之後，又把筆觸推移到親人的身上，包括他的外婆、父母、岳父母、堂叔和兩位兄長，用語親和，情感虔濃。當然，一定會為他的愛妻賦詩——〈仁性放送——謝吾妻〉和〈心意——致妻〉（一〇三．六．二）。謹錄第一首如下：

〈仁性放送——謝吾妻〉

無處不在／尤其在急難時分／仁性的母愛／自然流露　較黑夜星光／更透澈的／放送

一〇三．四．三十

仁性、母愛、放送，好詞妙用，在行句裡發光。

辛鬱，辛辛數十寒暑，鬱鬱多少日月；苦苦營生，操勞過活。即使有過歡樂和喜悅，也是短暫的，飄浮的，直到成家之後，真正的幸福和溫暖，才湧進他的生命裡來。特別是愛孫降臨之後，心情悅悅，眉宇生輝，真的是，有孫萬事足了。弄孫之樂，其樂無窮，作為爺爺的詩人辛鬱，不會無詩，也不可無詩，單是此集之內，就曾「四寫愛孫」（兒子的幼年時，他也有詩記之）。愛孫之詩如下：

1.〈續寫做爺爺滋味〉　　一〇三．一．十一

2.〈孫兒逗我笑〉　一〇三．二．七
3.〈玩球——陪孫兒玩耍〉　一〇三．二．九
4.〈育嬰一得〉　一〇三．六．十六

只舉兩首為例，就可看出這個爺爺感受之甜美了：

〈續寫做爺爺滋味〉

愛吃糖的牙齒早不堪／巧克力滋味／然而有一顆糖非吃不可／它是另一種滋味的／甜　在我三歲孫兒的笑臉／藏著

一〇三．一．十一孫兒三歲生日

這比喻好極了。此詩是「續寫」，之前定有別作。

〈育嬰一得〉

八十歲老翁的雙手裡／藏著一段段歲月之秘／什麼生命線　事業線／掌紋顯現的／只一個愛字／所以他抱起／不足歲的小孫兒／就像捧著跳出胸腔／自己的一顆心

一〇三．六．十六（三年以前的感受）

辛鬱妙筆吐詩，不能不詩詩自己，甚至調侃自己，特別是關於他的那張臉，那張成為詩壇風景、閒談素材的臉。

他的面情較為嚴肅，朋友們常以「冷公」稱之，他也不會見怪，且曾自賦「臉詩」多首。請看：

〈牆上的畫像讀我〉

一讀這老漢的笑臉／像是上了一層膠／二讀這老漢的一吐一納／何以如此不順暢／三讀四讀總是讀不懂／這老漢寫的到底是什麼？

一〇三．一．十二

另一首：

〈這人——自我寫照〉

一臉打霜／這人的冷／酷酷／非季節性的／／常常唸唸無辭／哼哼無聲／／怪的是　這人的身上／居然還散發一些些／人的氣息／有點香

一〇三．四．二

集外的詩作裡，「冷臉」一詞所在多有，甚至有詩曰〈那張冷臉背後〉，且以此題目作為他一部詩集的書名。

其實，他是一個面冷心熱的人。

家是人生最早的窩巢，家人是最親密的生命伙伴，辛鬱不會漏掉這個主題。於是，他便由對親人的個體書寫擴展到家庭的群體描述。十來首詩作，首首生色，句句有聲，把家的氣氛寫得既歡樂又溫馨。

試看辛鬱是怎樣寫的：

〈家人樂〉

聽著多樣的咀嚼聲／再看孫兒的嘻鬧／樂啊　樂開懷／／家人不是貼紙／拿來裝扮家的外貌／請看這圓桌而聚的／一家人　圓得多麼溫馨

一〇三．四．四

〈與家人共餐〉

這道菜裡有奶奶的愛意／這鍋湯是爺爺親手燉的／有甚麼比三代共桌／吃一頓晚餐更令人歡心／／紅燒魚放多了鹽／這不打緊　難得的是／為了這一餐／兒子提早下班／奶奶還多燒了兩道菜

一〇三．五．三十

文字雖然淺白，裡面卻灌滿了飯香。

＊＊＊

辛鬱在他的〈後話〉裡說這本詩集的「題材不廣」，此係自謙之語，事實上是很廣的，從文化、文學、文藝到社風、政治等，都在其中，我所介紹的這些，只是比較貼近生活，側重人倫，以及最容易感受和體會的部分。

最後我要說的是，在辛鬱走了三年的這個時刻，《文訊》促成這本詩集出版，讓它有緣落籍今日詩壇，至少具有下述意義：

其一，沒有讓這本詩稿失去生命，完成了辛鬱的心願。

二，讓愛詩的晚輩知道，詩的礦脈在生活裡蜿蜒處處，只要有意探測，認真開採，必有所獲。

三，它是我們詩壇上的新資產，讓我們現代詩的大倉巨廩中，多了一斗新糧。

辛鬱是一位成熟又成功的詩人，對詩創作的理論和技巧，早就臻至高段，因此，我就對這方面未加析評。有些作品看起來略嫌平淡，可是，詩質詩髓，仍在其中。

詩人辛鬱，詩齡比我高，詩藝比我強，不敢言序，此乃讀後一得而已！

一〇七・二・十

目錄

辭歲

拖著
廢輪胎365顆
飛快而去
留沒留話不打緊
祇是一雙雙望眼
還眨個不停

一〇三・一・一清早

煙火夜

夜空　鳥藏
只有它最霸道
血蹓蹓的
製造　瞬間即逝的
光　但不知
能把幾人的心點燃

一〇三．一．二凌晨

無聲的死亡

——念故友大荒

寂寂而去
這無聲的死亡
怎如　戰場上
一彈穿心

好在　總有老友在閒話中
使你短促的復活一次

一〇三．一．三黃昏

歌聲送行．悼李泰祥

有聲音從高處來　有聲音
從高亢到溫潤　從那個
山野漢子的胸懷流瀉
清澈的澗水一般
注入我們的胸懷
洗滌耳朵
為我們聽覺的澄明

在一按鍵一撥弦傾刻
這漢子的眼中閃亮聲音的光影
恍若莫內畫中的湖泊色彩
潺潺不息的
讓詩意躍出紙面
化成　河川最清澈的奔騰
　　　星光最明亮的閃爍

而今　所有的樂器都在
這漢子閉氣的片刻
寂靜下來

讀畫獻米羅

每一根線條的躍姿
如同鮮美的佳餚
引我食指大開

讓我們的歌聲穿透哀傷
送你到更遠的遠方
更高的高山

一〇三年一月三日午後草成，四日一早修正，五日定稿

讀畫獻米羅2

色彩是屏障
線條的陷阱帶你到
各個屏障的頂端
我在其間一鏟又一鏟
挖掘　一個名字叫快樂
的夢

一〇三・一・七

在色彩的行走中

——讀莫內畫小得

在色彩的行走中
各等事物定形為
它原發的模樣

唯光能予以改變
而光隨日月運轉
只有眼睛能感應

一〇三・一・八

讀畫獻米羅2

色彩是屏障
線條的陷阱帶你到
各個屏障的頂端
我在其間一鏟又一鏟
挖掘　一個名字叫快樂
的夢

一〇三·一·七

在色彩的行走中

——讀莫內畫小得

在色彩的行走中
各等事物定形為
它原發的模樣

唯光能予以改變
而光隨日月運轉
只有眼睛能感應

一〇三·一·八

三讀米羅

忽然覺得
我就是那畫中的一個三角形
在旋轉時與一個長方形
相撞　且由藍色轉化成紫色
拉長了的曲線繞過
一顆十字星　將我輕輕撞碎

一〇三・一・九

讀自己畫像

這張臉掛上牆
苦守時光二十載
灰塵與棉絮結成了朋友
有時吃飽了的蚊子在其上
休息　彷彿回味那——
人的活生生的滋味

一〇三．一．十黃昏

續寫做爺爺滋味

愛吃糖的牙齒早不堪
巧克力滋味
然而有一顆糖非吃不可
它是另一種滋味的
甜　在我三歲孫兒的笑臉
藏著

一〇三·一·十一孫兒三歲生日

牆上的畫像讀我

一讀這老漢的笑臉
像是上了一層膠
二讀這老漢的一吐一納
何以如此不順暢
三讀四讀總是讀不懂
這老漢寫的到底是什麼？

一〇三・一・十二

陽光播種

——讀朱為白新畫

秧苗讓畫布活成
田畝　有水漫妙的歌唱
陽光時而強烈
時而溫柔的
播種

哦　好一片萬象更新

一〇三・一・十三清早

某某院即景

把光亮鎖在密室裡
會有些什麼好模好樣

習慣了舌燦蓮花
加上些花枝亂顫
這伙人神鬼不分
似真若假唬弄人

唉！
這是什麼風景

一〇三·一·十四夜

抹藥

忍不住藥水的刺痛
但必須忍住
一連串柔性的呵責
那是直入心窩的
甜蜜

我的睫眉有一點點濕

一〇三・一・十五

下廚

有誰看過我圍上肚兜
手拿著鍋鏟的樣子
蠢男　難為無肉無魚之炊啊
因為有了瓦斯爐
解除了劈柴點火的窘迫
我為你燒的還是豆腐燉白菜

一〇三・一・十八

食不安

唉！吃什麼好呢
一聲長嘆　仍
打不消梗在胸口的食慾
翻箱倒櫃
只虛虛的撈出一些些
剩菜的異味

二〇一三・一・十七

周六市場行

轉一圈
發出各種味道的
六十分鐘飄走了

掂一掂手提的分量
唷！怎麼仍是那一色
困在塑膠袋中的零食

一〇三・一・十八午前

空洞噤聲

除了陰陽怪氣的臉色
他　啥都沒有

聲音不在口腔內
心事不在胸懷中
氣不喘
所以也沒有鼻息

一〇三・一・十九晚十一點半

夢中人語

咕咕噥噥　噠噠
一種聲音出自一種生物
在一隊夢中人的行列
發出　有什麼訊息要告知
或者傳送

還是在血流成河的
那場戰爭中嗎
熟睡的夢中人
夢見了一群人的聲音
召喚　其意難解

一〇三・一・二十

落葉一枚

——送大哥

秋未深
孤單的自樹梢重重摔落
一枚葉子
能化為一小撮
沃土嗎　不！
它或將引燃秋野

去歲四月尾赴天津謁大哥墓，碑上除「宓世棪墓」四字外，別無他字，碑後則鐫刻「鐵骨硬漢」朗朗的告白。

一〇三．一．二十一追記

一切的一切

無須誇飾　無須類比　更無須裝扮
是一切真中之真　一切善中之善　一切美中之美
一切價值中的價值
一切崇高中的崇高
全能者的他是一切的一切
擁抱著全宇宙的白
乃至全人類的黑
不知其所終

一〇三・一・二十二

變臉之因

小市場什麼都有賣
買什麼貨的人都有
你只要看看商販們的臉色
就可知賣的是什麼貨色
所以不必勞你白跑腿
只要你瞄一眼那些臉色

一〇三・一・二十三

親愛的老太陽

暖我
必可蒸發我
辛勤的老太陽
一早就把我叫醒
用光鞭唰唰
鞭策我　在人生路上
前進

一〇三・一・二十四

無象

——一個沉痛的感覺

他拿著一把扇子
扇著扇著風似乎來了
而人們仍汗流浹背
他牽絲攀藤的忙裡忙外
人們卻沒有看見
他籌建的樓閣在那塊地上

一〇三·一·二十五

廢氣鎖公園

——據聞大安森林公園如此

包括你我他　松鼠與鴿子
還有上千棵各類樹木
竟被鎖在一層層
川流不息的
廢氣裡

啊　我們的假日
如此
這般

一〇三・一・二十六

不題

——贈張之傑

幾千年恍若頃刻
展佈在一行復一行
號為文字精靈的
詩中　而後
穿梭在你的筆底
織成一幅江山圖

之傑兄有《詩說歷史》一書（商務版），寫盡千年人世滄桑。

一〇三．一．二十七以詩致意

年貨市場一角

滿眼年貨有歲月滋味
還有一些地方情調
你看　這位老人家多麼健朗
提著那一包散著腥氣的
黃魚鯗　我不必開口問
就知道是我的同鄉

一〇三・一・二十八

問題

——一個假設

你說藍代表天空
他說綠象徵大地
既然你們據有這所謂
人世　還吵個什麼勁兒

他說鹽裡有糖的成分
或說糖裡有鹽的成分
如果鹽是藍　糖是綠
在一張嘴裡還分個什麼

一〇三・一・二十九

毛背心

——感謝仙逝的岳母

脱線多處
小毛球累累
這件淺藍色背心
暖了我身二十年
只是那編織的手
早已灰揚

一〇三．一．三十

碎石子

——威嚴落地

「法律不外乎人情」
所以那人回家吃年夜飯
去了　不久之前的那人
駕著一輛十輪大車猛衝撞
一幢皇皇大屋的威嚴
碎石子一般撒了滿地

一〇三・一・三十一嘆息而成

無奈的氣球

炸了也不過爾爾
還不如就讓它鼓著
那股廢氣

莫怪風太大
是天空也變得
有些不平

二〇二二·一·一夜半

夢中人尋梅

——憶愛梅的母親

這時節正是梅花盛放
迷濛間忽聞母喚
而我母似在夢中
尋她夢中之梅

梅白無色須以心去尋
而夢中無雪可踏

一〇三・二・二

不題

——問杭州

古城只在記憶中巍巍
聲色犬馬的當下
西湖的水色似乎也失了光澤
還有人去往玉皇頂焚香嗎
在人造的富麗中
為何你任讓原貌變色

一〇三·二·三

父愛

——街頭聽聞一則

等待著
最後的掏心挖肝
這老人　每天第一件事
總是將一張空床
擦抹乾淨　等待
出走的女兒躺臥
即使僅僅是　留在床沿
一層　薄薄的
皮屑

一〇三・二・四

念楚戈

春風送香的日子尚遠
讀著你一幅春意洋溢的畫
有人已為其中的碧綠
亮麗而歡欣

而窗外雪正飄飄
誰知你何時踏雪來訪

一〇三．二．五

路

路是人走出來的
是嗎？
你怎知他的心路歷程

千萬條小路真的抵不上
一條陽關道？
請問你走盡陽關又將走向何方

一〇三·二·六

孫兒逗我笑

小腦袋裡裝著些什麼
　　我不知道
無以名狀的快樂
　　一定是有的
也一定張開手臂撲上前
逗得冷臉爺爺哈哈笑

二〇二二・二・七

留在青草地上的

不會是陽光味道
留在那片只在記憶中
常綠的草地

經過多少年翻轉
有人已遠行到別處
煙雲與水氣也已變色

而我仍一念興起
噘起嘴一口口細品
留在青草地上的純純美味

一〇二·二·八

玩球

——陪孫兒玩耍

小皮球在地上滾動
小孫兒在其後追逐

一種快感在他的臉上
寫出屬於他的
一段時光絢燦

突然一球飛過來
打醒了陷入片刻冥想中的
爺爺我

一〇三・二・九

蹓狗滋味

被蹓的是一匹日本柴犬
耿耿忠心常為了
保護我這主人而顯露

其實我不識狗性
他識我是我身上的氣味
並非我心

所以　我們說不上
投契

一〇三．二．十

酒餘

請你莫説沒有倒流水
也莫説沒有不發熱的火
水火有朝一日也許能相容
到時候你就會承認
今天這個日子會走在
明天的後頭

一〇三・二・十一

夢金陵

雞鳴市的香火
還會是一條細繩
牽起我父的威與我的稚
在古城的形形色色中
找回一串串叮噹出聲
掛在臉上的珍珠

一〇三·二·十二

搔癢與撫痛的手

青筋遍布的手
是外婆渡過多少時光河道
在水中一槳一槳划行的
萬般家事一身挑的
手　更是為我搔癢撫痛的
手　勝過玉質的高貴

一〇三．二．十三

時尚乎？

似乎這也是一種
流行　人們連咀嚼的方式
都大不相同
你看看　她手拿銀叉
閃閃發亮　英國的標貼
叉入口中的那片雞肉
必定分外鮮嫩

另家小飯店
剛放下竹筷子的
老客人　正剔著塞牙縫的
肉屑　滋吧滋吧的
響著　缺了門牙的
嘴　比什麼人都
自得

一〇三・二・十四

習俗之累

我經過的每一個所在
不論它處在什麼景況
每逢節慶總不免
過甚的裝扮
你看　此地的燄火響得多震耳
鄰村的天燈放得多穿雲

然則破空而去的
總是萬人的望眼中
那一種源自心底的荏荏

一〇三・二・十五

回望

味道多半是酸澀的
要不然甜度超標
回望這檔子事兒
已不適我屢屢轉頭

不如呆呆往前看
老花眼裡也許會出現
未嘗一見的
青山綠水

一〇三・二・十六

飽餐之後——

似乎不是因為腹鼓
咚咚可敲
我才放落筷子
等一個飽嗝
破喉而出
難得的是
我的心房
從未這般寬鬆過

一〇三・二・十七

唱者之隱

——寫高淩風

不管雙手伸向多高的高處
雙腿騰跳若青蛙或如蟋蟀
他的歌聲與他全身的顫動
獨創一種人體音樂的旋律
使滾水揚波　野火狂燃
直至清晨　一顆星不得不隱沒

一〇三・二・十八

非夢的俗夢

莫非這一張張千元大鈔
還不足以在眼窩底下
孵出一隻金雞或一盆
銀閃閃的鑽石花

夢裡的俗夢
非夢

一〇三·二·十九

酒精作用乎？

——在蒙古發生的

那夜　吃蒙古烤羊腿的嘴
也是喝燒刀子的嘴
也是喝「站在高崗上」的嘴
也是大吹法螺的嘴
唬得同座蒙古包裡的老友
被酒浸紅的臉更加赤紅
一躍離坑挺挺的唱起
「蘇武牧羊北海邊」……
而後　趴在我肩上
嚎啕大哭

燒刀子為一種烈酒也！

一〇三·二·二十

黑白豺狼共一色

說他是狼　其實他也是豺
黑白在夜裡共一色
他們擅長以人模人樣
作斯文

在堂皇大廳揮拳頭
一蛇形另一鷹爪
二人對打還真有一套
末了總不見誰把誰傷了
這種事　你看了嘔呢？不嘔？

一〇三·二·二十一

觀棋速寫

——在植物園

「落子無悔」的前人言
猶在耳朵旁發燙
兩位君子居然耳赤臉紅
站起身來　我在一步外
默看這場戲
怎麼往下演

妙哉
左首的一位拔腿走
我能看出他一臉怒氣

一〇三·二·二十二

「病」了
——本世紀現象之一

這病
非胃痛頭暈或睫膜炎
這病
從脈象上把不出來
君不見　今生今世
一切都在求快速
便捷而伸手可得
你只要動一個手指
按它一鍵或二鍵
你要的一切一切就會
堆放你眼前

哦　這是個什麼時代呀
焦頭爛額的在下
怎麼能苦思得出來
這病
「病」得好

一〇三・二・二十二

小小暖流

儘管只是一股小小的暖流
散放的熱度
卻如同陽光
溫暖的不僅是
一位老人的心　也點亮了
這冷感都市的一角

一〇三・二・二十四

遊行

——少年之憶

還沒有脫青的聲音
把一座城市的熱情點燃
年輕的隊伍
緩緩的向城市中心邁進
誰說這不是一種力量的展現
我們只訴求　學習與求知的安寧

一〇三・二・二十五

墨色裡的精靈

——寫張默手抄詩集

濃淡深淺的筆墨舞踊
在張默手底下快樂的
跳著　展演出不同的詩味

帋是眠床　溫柔的
讓每個字在其上安睡
鼾聲中各自作精靈的夢

一〇三・二・二十六

不題

——某大廳所見

不會是顏色的緣故吧
你看藍綠二色
入眼都那麼柔麗

然則　二色相匯
為什麼總免不掉喧囂
讓人們為之側目
驚心

一〇三・二・二十七

烙入心坎的名字

偶然而又偶然　那年
在嘉義市公園一角
一塊碑石竟令我止步

碑石上一個名字
屬於我從未謀面的親長
他亡故於一場噴血的論爭

時間疾行　從三十八歲到
八十二歲　漫長的人生道上
一路走來　這名字一直跟隨

碑上人名，為我堂叔，時任嘉義市長，於二二八事件發生後一日被殺。詳情我無所悉。

一〇三．二．二十八

線條

想捕捉線條的原貌嗎
你得透過畫者眼與心
不要試圖簡化讀畫的過程
在未經勘定的一念間
讓情緒的脈動
驟然掌控

一〇三・三・一

時光行

順時針方向　或者
逆行　這口老態龍鍾的
玄鐘　大我十八歲
在我記憶的原鄉
噹的一聲
敲醒我睡了六十二年的夢

一〇二·三·二

友情常青

——再憶楚戈

雖然弦斷
音仍在
懷念裡的長空
鳥跡縱然無存
卻仍有一條無形的鳥道
穿連

一〇三·三·三

冥想走失了

藍天倒置
河水從頭上傾流而下
整座曲徑幽幽的小山
被摺成一只紙玩偶
飄在我的心湖中
我卻在一條十字路口
苦苦思索該往何處去

一〇二·三·四

美食之惑

每一念及
那美食在舌尖上發酵
藏不住貪吃的小小慾望
就膨脹起來

還幹嘛傻站著呢
快走呀！

一〇三・三・五

寄情於雨後黃昏

陣雨為小公園洗了一個澡
黃昏氣息令人止步

輪椅結隊而來
老人們的臉容安靜如天色

我在其間　轉身時看見
一位老者的臉上笑出一句詩來

一〇三・三・六

市場人情

一尾煙燻鯧魚的氣味把半個小吃部遮住
食家們在一陣議論之後紛紛
走進了這新開張的小吃店
它取名「味香」　理當如此
隔壁的阿婆素食館安安靜靜
只有三個包括我在內的食客
缺牙的阿婆含含混混開了腔
阿婆今天我做個人情
做一道素紅燒魚免費請你們吃
我笑了笑傻傻的說
阿婆你知道我是不吃葷的
一旁的林先生接著大聲說：
素魚不是葷

一〇三．三．七

走路「利得」在夏日

夏日裡壓馬路
汗流浹背好處多多
汗「香」一身沒人會靠近
這時候你是「王者」一尊
在半個時辰
過足了癮

一〇三·三·八

楚戈寫照

在坦率的另一面
是赤裸　透明無跡
可看見他的心跳
聽見他心裡清脆的
歌唱　他企盼給出
全生命的快樂　然則
他也有滲入血液的
痛苦　為了人世的完美

一〇三·三·九

說「詩」

生活裡藏有極難察覺的
飄忽的情緒
在某種行為激發下
化為濃淡不一的詩情
從心深處　或經腦海
無聲的傾流
凝而成詩

一〇二·三·十

狗命與人命

狗命飄忽
全在於人命的裁定
貴與賤
飢與飽
而人命呢
人命有萬般轉折
千樣分際

君不見　在「十二夜」裡
唯人知狗命
視狗命為物　或無物

二〇二三．三．十二

故事之外

一切都被塗色
被劃歸為一類
就像養殖池裡
那些蝦　雖然在水中
跳躍牠們生命的愉悅
但若入鍋烹煮
就一律躬身成
紅紅的鈎

二〇三·三·十二

讚「讀者文摘」

一個月是一次甜蜜的輪迴
讓我任由溫煦的春風吹拂
任由夏日午後的陣雨洗滌
讓秋夜的月色導盲　然後
任由冬日綿綿的雪花裹身

一〇三・三・十三

讀「天書」有感

遊龍鬧天庭之後
蟒蛇穿地洞
又似驢打滾
也像花枝亂顫顫
這些如字的筆劃
非字亦無聲

它們說不出自己的身分
豈不悲乎？

一〇三．三．十四

生命樹

——讀苗家蠟染

一枝一葉俱展現生氣旺旺
輕柔如煙雲而未散
狂野若雲豹的奔騰
或鳥或魚或斑蝶
翅翼的律動一波波
在色澤的滋潤中
集聚成一棵生命樹

一〇三・三・十五

冷「感」

從時間的甕中湧出
恍若嚴冬之晨的
冷冽　塗糊了我
賞雪的雙眼　凍僵了
我一時的
心聲

一〇三．三．十六

無題

在黑暗中
詩被囚禁而自殘
它的血不見色澤

有燈亮起
那是以生命油膏點燃的
微光中可見
詩的
血痕

一〇二·三·十七

輕裝詩本貌

它從心底浮出
漂在人生水面
有時因為太重
立即鉛沉水底
有時分量太輕
如同灰塵飛天

一〇三・三・十八

浮與沉

浮著　在晴空
一個一個發熱的名字
耀眼而亮麗
沉落　入水底
一串一串失色的珍珠
波沒而泡散

一〇三・三・十九

隨波

他頭綁紅巾
我舉著旗幟
誰管他紅巾與旗幟表徵什麼
熱騰騰的人氣
把每個人的意念燒紅
理性蒸發
人潮的江流湧過來
我弄濕了全身卻分不清楚
這股狂潮將撲向何方

一〇二·三·二十

夢境再現

沒變樣也沒改色
夢裡的糾葛依然是
一棵老樹倒在草地上
一只鳥窩裡還有幾隻
出生的稚鳥

同樣是生命
老樹的凋零帶走了濛濛的暮色
小鳥的初生帶來了青春的曙光

一〇三・三・二十

無類

——政客的素描

向左看到向右
向前看到向後
他的四方形眼睛
看透時下的一切
所以他演的把戲
讓人一看就明白
因為他
屬於無類

二〇三·三·二十二

白日聞蕭

——在「中正紀念堂」

聲音被迴廊的拱頂
打得粉碎
這管蕭的吹奏人
不改神色繼續吹
在斜陽夕照下
他的影子有一點孤單

一〇二·三·二十二

航向之爭
——常見現象之一

同乘一條船
又何必為這船的航向
你臉紅他耳赤
任誰都不退讓的
弄得拳來腿往呢

難道爾等不在乎
大浪捲起？

一〇三・三・二十四

耳邊風刀吹

好涼又好爽
這風吹人樂陶陶
說好話的人怎知曉
我要的是一陣烈風
挾著泥沙
吹醒我沉睡的魂魄

一〇三・三・二十五

路障

坦白說
我要到那裡去
你攔不住我的心
問題是
我不想再走
看你怎麼辦

一〇三．三．二十六

心情之一種

晚餐之後
從心底跑出來的心情
常常被看著的新聞報導
攪混並攪碎

不如披上一件薄衫
出門去走走
誰知道總是遇上
抄便路的摩托車一輛
接一輛　穿梭過小巷
心情　被再次碾碎

一〇三・三・二十七

垃圾窟窿

順手一丟　多方便
它不會叫痛
承受你我的任性
這大地　許多人叫它
母親

而實情卻是
它是一個很深很深
無底的窟窿
你與我　都是垃圾

一〇三・三・二十八

素描名嘴

不見血紅也不見蒼白
一張張夠人看的
臉　可變與不可變的
臉　因為那張嘴而
價值連城

這嘴裡有珍珠一串復一串
當然　更多的是子彈一粒
又一粒　啪噠啪噠
如亂槍打鳥

一〇三・三・二十九

黑潮泛起

一種黑　因為與白不對襯
所以無色　乃成黑潮矣
黑潮泛起在凱道
大有掩雲遮日勢
黑潮泛起在凱道
曲直是非難分曉
黑潮泛起在凱道
寶島自此不安樂

一〇三·三·三十

激情過後

它總是穩穩地居中而立
有些歲數的景德門
看慣了人來人往
聲起聲落
它不會無聊到去數
這一趟把戲
有多少只鞋子進進
出出

一〇三・三・三十一

播種與助割

——致科學月刊耕者群

四十多年歲月的耕耘
這塊地上的作物
經由多次的播種
與助割
已化為高養分的
食物　充實著
一代又一代學子
知識的倉廩

一〇三・四・一

這人

——自我寫照

一臉打霜
這人的冷
酷酷
非季節性的

常常唸唸無辭
　哼哼無聲

怪的是　這人的身上
居然還散發一些些
人的氣息
有點香

一〇三·四·二

時間的另一面貌

熟睡中的時間
不知怎麼走動
醒著　我明白
時針是時間的刺
刺向各個方向
各種物件上
令萬物
痛

一〇三．四．三

家人樂

聽著多樣的咀嚼聲
再看孫兒的嘻鬧
樂啊　樂開懷

家人不是貼紙
拿來裝扮家的外貌
請看　這圓桌而聚的
一家人　圓得多麼溫馨

一〇三．四．四

遙念

——呈已故岳父

雪山之巔　雲絮與積雪相啣
有多少英豪事跡
隱沒陽顯
你是我心中一座
孤峯　直挺挺的
不理會時間摧殘

一〇三．四．五

再起

——致羅門兄

折腰非為屈從
他是個低頭只為穿鞋
常把自己升到旗桿頂上
為自己拍手叫好的人

他只向自己臣服　他說
縮身是為長得更高

一〇三・四・六

不題

筆尚未擲
字卻已棄我而去
我這才切身領悟
「江郎才盡」之痛

一〇三．四．七

自我搜尋

不善舞劍　耍刀也不成
那就去弄墨吧
而展紙談何容易
想飛　就必須承認
翅膀的脆弱　更何況
我乃一無翅之輩

一〇三·四·八

日記本

記一人之事
它輕若鴻毛
然而在某一時刻
又重似泰山
它會招來暗箭的疾射
不付之火爐　留它作甚

一〇三．四．九

景美溪短唱

幸而有蒼鷺傳訊
這水中尚有藤蔓的妙曼
惜乎已無船穿行
在寂寞裡流著
隨季節變色的水
倒也有一份自在

一〇三·四·十

友情

在相互的施與受之間
人們建起一座橋
它的名字叫「情誼」

常常　在橋的這頭
由於我疏於拔除
蔓草　路有些崎嶇

一〇三·四·十一

在公車上

上車無座
就手握吊環
跟著車速搖擺
有時候　竟能閉眼
進入夢境　發現自己
曾像吊環般
被握著

一〇三·四·十二

家事一得

塵埃
在任何房間都存在
做家事
勢必也清除塵埃

而有些塵埃
肉眼看不見
它沒有分量且無形
是從人心裡洩流出來的

一〇三・四・十三

關於衣服

它讓我有了人樣
說它可禦寒　亦可遮羞
實則　人們品評的
是它的質料　色彩與款式
然而
這一切一切　都
與咱的肉身不相干

一〇三．四．十四

時間無罪

法律裡的時間
或可裁定罪犯的刑責
但時間無罪

亮處站著的
時間　是一條
人們作息的準繩

一〇三．四．十五

路不平

——關於「路平計畫」

推著拉桿車
一眼就讓人瞧出
這人是一個家庭「煮」夫

其實我一直不諱避
這個事實　因為
我係民　「民以食為天」

惱人的是　路不平
常叫我人仰車翻

一〇三・四・十六

藏書出櫃

一道非味覺的食物
藏著一陣陣清香
從櫃子裡端出來

可容我　再次
以心咀嚼
它那廣闊的空間
以及　纏繞我一生
一世的時間

一〇三·四·十七

蒔花樂

蹲身嗅聞花香
勝過站著聞香更濃些
各式花姿的顏色
也會將周身染得
更為耀眼　不信
你種上幾盆花試試

一〇三・四・十八

祝願

——再致老友羅門

在對自己的檢定裡
悄悄移動一下指針吧
老友　請謹記獨一非無二
這世界有太多未知
等待開發　它包括
一座自己全新的真身

一〇三．四．十九

所謂「賢」「能」

承諾可以修之又修
策略可以改之再改
這是「賢」者正常的作為

馬路可以挖了再挖
水溝可以通了又通
這是「能」者可見的表現

一〇三．四．二十

膨風者素描

一人大腹便便
行路若一球滾轉
一人細腰軟軟
行路若一蛇滑動

球與蛇互不相容
滾轉與滑動各據一方

一〇三・四・二十一

有紅旗招搖的清早

一清早　有面五星旗街頭招搖
這麼新鮮的事兒你可曾見識

有人說太陽尚未冒出頭
搖旗之處天色還未明

沒有多少人瞧見
這事兒也可以當作
沒有生發
唉　這是個什麼地方

二〇三·四·二十二

絕症

你對什麼都沒有感覺
除了權力之外
因為你的心肝
不在你的體內
它血淋淋的
頂在　你的頭上

一〇三・四・二十三

贈尉天驄

好個漢子
不愧為兵家必爭之地的子孫
總是直挺挺地站上
爭議的風口

讀你五十載的有所堅持
你樹立的路碑
必可成為眾人行進的
指向

一〇三．四．二十四

核電素描

聚百毒的漢子
走到那裡都令人恐懼
而你仍為我家亮起了燈
你治好了他家親人的病
沒有面貌被人們欣賞
卻有著一顆善良的心

你呀　你只是
生不逢辰

一〇三·四·二十五

家事

不宜對外人明說
這種事　是一個屋頂
覆蓋之下的秘密
是水也是火
柔與剛兼而有之

如有色　則白黑並存
百分之九十都是藍天一片
偶而一朵滑雲
也是清揚而過的……

一〇三．四．二十六

蟻災與詩劫

——往事一件

初識白蟻的威力
是一書箱的詩集
皆成小土粒

這書箱　一般的木質
隨著我東行西走
二十餘年軍旅過後
才得以安頓　它似乎
也把滿溢的詩集視為寶
怎知都作了白蟻口糧

一〇三・四・二十七

喜開家門

——打油七絕

喜上眉梢兩鬢霜
開懷莫過人丁旺
家和全在心放寬
門庭清淨萬事爽

一〇三·四·二十八

盲非盲

——向梅遜致敬

比誰都看得清楚
因為他心裡早就明白
文字在他的頭腦裡
一直都在打轉著

它們排列得整整齊齊
比明眼人寫的更順更通暢

一〇三·四·二十九

仁性放送

——謝吾妻

無處不在
尤其在急難時分
仁性的母愛
自然流露　較黑夜星光
更透徹的
放送

一〇三・四・三十

街頭活動再起

旗幟在風中「獵獵」叫囂
竟有了蓋壓人聲之勢
微弱的警哨聲
不知在顯示什麼

遊行隊伍從各個方位
向中心聚集
有人從臨時搭起的高台
揮搖雙手　但無人理會

站在遠處張望的
是我疲乏的眼睛

二〇三・五・一

憶武昌街舊事

——紀念周夢蝶

你的名號蓋過這條街
透著羅宋麵色香氣的
明星咖啡館
伴著書架上某本詩集裡
蹓出來的百合花香
把整個下午點染得
高雅異常　只你袖手坐著
閉目假寐　直待我
喊出第三聲：周公
從蝴蝶繞飛的夢中
你醒過來

枯枝一般你的身
也恍若詩化
在我的面前直挺挺
矗立

我從多樹多竹的林口來

第一次與你照面
留下直挺挺
枯枝印象
在歸程中一再
品味

一〇二·五·二

白日夢

走在街口的我
突然失去了方向感
眼只見　一個大大的人頭高懸
在對街大樓的一面牆上
對著我笑　我在想這人是誰
是否應回以一笑？
一輛大巴士從身前緩緩駛過
再抬頭　眼前的景象變了樣
人頭仍高懸　笑意已消散
我頓悟　選舉季節快到了

一〇三．五．三

「五四」與我

與當下「五四」的孤單纏在一起
六十年來我的文學夢
淡淡灰飛

翻舊書
思故人
桌面上只留一支筆
空空蕩蕩
腦海裡　有一張帋
浸透　往深處沉

一〇三．五．四

思念

居然
沒有對象
可形塑
或描繪

這思念
叫做什麼

一〇三·五·五

迷惘中的自省

我常視天空為一片水域
日子淡淡地漂過
我的裸身被一波波
流言般的魚類咬嚙
僅剩一具空空的骨架

沒有喜樂也沒有銘心的悲悽
我的慾念　夢幻　期盼與理想
一一粉碎在
日曬過甚而焦黃的大地
是以我的影子也黯然出走

迷惘是這個世代的一切表徵
誰身上若仍留存一絲溫情
冷冷的輿情鞭子便狠狠抽打下來
我不知道最後會變成什麼
摀著臉我以不看來替代
無奈的自省

一〇三．五．六

關於狗——

我家的狗
當然非我族類
然則　他亦有人模人樣的
一剎那
當他飽食過後
舔舔手腳
倒在墊毯上
那副德性

一〇三．五．七

蚊子樂章

這樂章只有一個
音階：嗡嗡
而嗡之又嗡
在你意欲高枕無憂時
卻震耳如雷轟

如今　年老耳背
雷轟也罷
砲擊也罷
都無聲無息
蚊子啊　你就針下留情吧

一〇三．五．八

詩

纖柔之外亦有
剛烈　語言是酵母
文字成結晶
迷濛與透明兩種情
隱藏著金線銀絲織成的
錦囊　一顆星
不！一片天或地
在內裡
不絕的翻騰

一〇三・五・九

掛心的傷痕

每當伸手觸及
左額角的傷痕
記憶之門就拉開
一條透光的小縫
母親帶愁慮的臉
突顯而亮起
令我心激顫不息

一〇三·五·十

無題

我曾被戰火所烙
在名叫「登步」的小島
年僅十六
身不比槍高

不識戰爭也不懼死
窩在壕溝裡
蛇一般滑蹓

那一天的天空烏黑
我只有冷的感覺

二〇二三・五・十一

疑似古物的題記

那是一塊鐵鑄的牌子
不圓亦不方
大小恰似一手掌
牌上銘刻某個太上皇御賜養老的
德意（我當然無緣消受）

牌子得自西安武則天墓道
從一個老者之手
（我當時曾想問
　為什麼你不留下這牌子）
他從我手上拿取一張百元鈔
轉身就走得老遠

一〇三·五·十二

印象記憶

——某夜與周夢蝶在武昌街

事已成一柱記憶化石
唯頗具印象派意味
足堪回思

你盤坐一角　雙手合十
我以軍人的習慣姿勢
蹲坐　時光已沉入
一日的谷底

夜歸人結伴而行
說話的聲音高八度

我瞄你一眼
果然看到你皺了皺眉
拍手　起身
說：收攤

一〇三・五・十三

舊日子懷想

——軍旅生活一得

真的　我對一門無後座力砲的
記憶　勝過多位長官的訓示
砲以無情相對
卻暗自傳授無畏的剛毅

倚砲而立　我總覺
氣昂昂
雄赳赳
完完全全一個男子漢

一〇三．五．十四

市場教育

若非好欺易騙
我怎麼會在半小時之內
增加了識人的能力
在菜市場
那在秤上動手腳的
販子　讓我發現
自己的另類笨拙

一〇三・五・十五

瑞安街客寓記事

從樓台下望
那位將軍的便服
似乎沒有什麼特色
這便可以想像
他的軀體跟我的
也不會有什麼異樣

一踢腿　一揮拳
是否虎虎生風
這倒要問問他的隨從
而今天是假日
沒有大批來客要會見
也沒有公文要批

所以看起來
他是那麼悠閒
你瞧　此刻他正在逗狗
那可是一頭猛犬

租住瑞安街一公寓四樓，對面是幢日式平房，院子很大，住著當時省政府主席陳大慶將軍。我常在樓台看他。

一〇三．五．十六

軍艦上

——它往馬祖去

不悉浪高幾許
一群紅臉漢在官廳
嘰嘰喳喳話當年

三朵梅花的艦長
令我折服的
是他那臉上掛著
長達八十分鐘的笑意

（這差使真不好幹）

突然一個大浪撲打
紅臉漢一個個驚叫連連
那上校卻若無其事
看了看手錶　說：
「我帶各位老師去寢室」

某年尚在軍中，參加一次新文藝輔導，目的地馬祖。登艦後，備受禮遇，在官廳接受艦長邀宴，一頓飯費時九十分鐘。

一〇三．五．十七

髮變

偶爾怒氣激髮
卻無冠可沖
稀稀落落一塊地
只藏著些胡思
亂想

受之父母乎？
我那幾根白髮的頭
真像　被羊群踐踏
啃嚙過的青草地

一〇三・五・十八

飄忽的身影

——與故友許世旭夢中相見

一街相隔
那身影
清晰如在眼前
卻　張嘴無聲
　揮手斷臂

許是　他站的地方太冷
瞬間相見
那身影忽地冰溶

一〇三・五・十九

藍圖

不知何處可懸掛
這幅經由多少人絞腦汁
多少人流血淚
拼命製作的藍圖

它怎可
在空蕩蕩的高處
寂寞的飄

一〇三．五．二十

怎奈耳不聾

只因為眼珠仍在轉

你怎麼掩耳也躲不過
那些話頭的入侵
何況
你根本不是色盲

眼耳一體
除非　你去學學怎麼把耳朵
用鶯聲燕語醃起來

一〇三·五·二十一

眾心之痛

——「北捷」砍人事件

絕不是一個人的悲痛
眾目睽睽下
刀子　竟無原由的
向一個個人體砍落
驚惶都來不及
莫說為什麼挨這一刀
又一刀　一刀刀狂砍
一人被開膛一人被破肚
哦！尚有人在睡夢中
不知怎麼的
竟倒在自己的血泊中

揮刀的人沒瘋　也沒
失去理性
他就是要揮刀
砍人　他就是——

四分鐘　歷史停擺

反歷史的這段時間
這人　走進了自己的歷史裡
毫無所悔
這——
絕不是一個人的悲痛

二〇二三．五．二十二

裸身現場

——平溪無名水塘

一人說：脫！
五條漢子頃刻光溜溜
面對一澗碧水　冷幽幽中
看見了自己的真身

笑聲更純然了
因為一無阻礙
此時　有人拿出了相機
咔嚓一聲
這便進入了「歷史」
不亦詩乎？

一〇三・五・二十三

失題

——關於某一所謂「古蹟」

這房子實在歲數不大
殘留著舊昔的酒肉香
脂粉塗抹的婀娜多姿
怎麼說也洗不清
它的「色」調

（而它已晉身古蹟）

你聽那人說什麼
往事或可不追究……

一〇三・五・二十四

沉默如金

只聽　不說
一腦袋裝滿
各家的口水
哀莫大於心活

常言沉默如金
假設人人都
無言　不語
金　有何價值

一〇三・五・二十五

無言

——憶二哥世棣

無言便亦無歌
他在抗議什麼嗎？
或者　被當作抗議的
對象　如果書卷皆有罪
他一身沾染了
書卷氣　便罪大惡極

你——
還要他說什麼

二哥任華東師大圖書情報系系主任，因天天與書為伍而獲罪，遭清算鬥爭多時，末了，含恨而逝。「你——」意指邪惡力量。

一〇三．五．二十六

聽君言

肺腑之言　必
肅容端坐閉氣傾聽
然後有春風撫面
暑熱遭雨淋的
那種舒暢無限的
感覺

僅僅是一語指點
把我從泥淖裡拉起

一〇三·五·二十七

寫日記

風，花，雪，月
甜，酸，苦，辣
你真有那麼多可寫
可記的話嗎？

它們真的不是滯留的
餿水？不是燒得
一粒星火也不剩的
煙塵？

一〇三・五・二十八

撕書的小賊

——在外婆佛堂

小小年紀
在木魚的篤篤聲裡
聽外婆唸唸有詞

佛堂的氣氛異於餐室
或臥房
外婆的唸佛聲也與
平時溫柔的話語不同
他抓著經書一角
「嘶」的一聲
咯咯的樂了起來

一〇三．五．二十九

與家人共餐

這道菜裡有奶奶的愛意
這鍋湯是爺爺親手燉的
有什麼比三代共桌
吃一頓晚餐更令人歡心

紅燒魚放多了鹽
這不打緊　難得的是
為了這一餐
兒子提早下班
奶奶還多燒了二道菜

一〇三・五・三十

無題二行

墨色以無止境的穿梭
書寫人世與時光的裂變

二〇二一・五・三十一

怎麼辦

不是烏鴉
卻愛聒噪
怎麼辦

因為這題目
我想起了
汨羅江畔的
詩魂

一〇三・六・一

心意

——致妻

以我展喉一歌的爽朗
以我伏案索句的真誠

向妳　獻出
無盡的心意
祝妳　生日快樂

一〇三．六．二

自己的寫照2

位置上　始終直挺挺的
在烈陽下　從不藏起身影
沒什麼可怕——包括死
筆禿了　就用手來寫
那些帶刺長角的
字

這僅是我的
本色而已

一〇三・六・三

權錢糾葛

——葉世文事件有感

誰能釐清權與錢的關係
在權力擴張年代　發酵的
錢堆積如山　不屬必然
要不　你坐上那個位子
有啥意思

還用得著一張一張去數嗎
像那位耍筆桿的窮措大
整日裡伏案苦思
居然連一百張百元小鈔
也數不清

去弄些權力來玩玩
到時候就會有人送錢上門來
十萬張千元大鈔
不用數　掂掂分量就知道
怕只怕弄不好　請你坐牢

一〇三・六・四

外婆

——在小說中

老人家穿著整齊　突然現身
在我的一篇短文裡
沒把老人家塗脂抹粉
清清爽爽　像一碗
青菜豆腐湯　她長年吃素
所以連蔥花也不放

她把我當作寶
她的愛像繞毛線球一樣
一直繞不完　我卻是一粒小石子
如今已化成沙……

一〇三・六・四

寫詩時刻

不宜細數
還有幾顆未沉的星
朦朧天色最適宜
在鏡子裡看清
自己的容貌

不要管鳥雀會不會
在窗外飛掠
你只要凝定　靜默
用心去聽
日出的聲音

一〇三・六・六

失題

我走在
新店溪的某個轉角
天空依舊在
只是地表改

我走在
新店溪的某個轉角
高樓排排坐
視野日日瘦

我走在
新店溪的某個轉角
處處燈火紅
漸漸月色淡

一〇三·六·七

打油七絕

靜夜苦思不成眠
摘除「賊」心須自愛
但望家室常平安
和睦歡欣渡餘年

一〇三・六・八

生命驗證

品飲生活點滴
解生命之渴
也許真該在烈日下
接受燻烤
在暴雨中
尋求赤裸的洗滌

一〇三・六・九

讀李重重畫作

如果雙眼如鳥
就任她品飲
山泉的清冽
嚐味春風的甜沁
但請鴉鵲止步
不要吵醒畫中的天色

一〇三・六・十

倒轉著走

別有一番滋味
看你周遭的一切
怎麼為你的腳步
扭轉身

但可得小心
那一排無情的檻柵
會不會放行

一〇三・六・十一

贈張堃七行

一聲熟悉的老哥
置我於微醺
聲音凌空來
心意踏波行

我側耳凝神
聽一首詩　間關萬里
在風濤中自吟

一〇三・六・十二

願

——生日自賀

終於又跨一道門
這次是木質的
散著我極愛的香氣
更美在它的原色

屋外景致已變
大樓切斷了鳥道
那排雜木林上的白翁
遷居了

若問我有何願望
我只想聽一聽白翁
求偶的歡叫
因——
我還年輕
可賀

一〇三．六．十三

疑雲

漫生心中一團團
無影無踪無重量
不宜用顏色描繪
也無心用形象對照
這可解但不易解的
剎那間的心事
驟然　塞滿腦海

是謂疑雲

一〇三・六・十四

食之辯

柴米油鹽醬醋茶
孰重孰輕
甜鹹酸辣香苦麻
誰高誰低
開門七件事
入口七樣味
食之道於焉傳世

而當辨味棄舌頭
聞香也不歸鼻子所屬
請問　活著幹嘛？

一〇三・六・十五

育嬰一得

八十歲老翁的雙手裡
藏著一段段歲月之秘
什麼生命線　事業線
掌紋顯現的
只一個愛字
所以他抱起
不足歲的小孫兒
就像捧著跳出胸腔
自己的一顆心

一〇三·六·十六

陋室吟

習慣了淡淡的
寢具偕身體相混的氣味
因其小而壅塞的陋室
臨窗的書桌似乎也有了
某種令人依惜的情調

如果你叫我易桌伏案
就恐怕一字無得

一〇三・六・十七

茉莉花

且莫問這花
何以如此雅潔
入歌入畫並入戲
香遍了一般人家

它從不與玫瑰或牡丹爭勝
在任何角落都活生生
吐露芬芳

一〇三・六・十八

後話幾句

去年尾，興念寫「每日一詩」，同時也寫日記，就跑到街口文具店買了幾冊記事本。元旦那天，毫無詩興，但看到記事本，就坐下來，挖空心思也要寫幾句。

這麼就開始了「每日一詩」（今定名為「輕裝詩」——不必解說，只一輕字便說明了一切）。原先是詩前、記事後，不到一個月，就改為先記事後寫詩；其中有些詩為配合記事而寫。

題材不廣，但得與生活有關連，所以並不難寫；寫得不好則是才氣、功力問題。總之，既然寫了，就讓它面世，似乎也無傷大雅。要說明的是，原本想寫一年三六五首，結果只寫到六月十八日，得一六八首。未得往下寫的原因，是我病倒了；但每日記事，一天也未間斷。

病中，蒙朋友關懷、慰問，不勝感激。更感激的是您會讀這本小書。

辛鬱・一〇三年十二月底

附錄：辛鬱詩作精選

豹

一匹
豹　在曠野盡頭
蹲著
不知為什麼

許多花　香
許多樹　綠
蒼穹開放
涵容一切

這曾嘯過
　掠食過的
豹　不知什麼是香著的花
或什麼是綠著的樹

不知為什麼的
蹲著　一匹豹
　蒼穹默默
花樹寂寂

曠野

消　失

原刊於《現代文學》第四六期，
一九七二年三月，頁三五

順興茶館所見

坐落在中華路一側
這茶館的三十個座位
一個挨一個
不知道寂寞何物

而他是知道的

準十點他來報到
坐在靠邊的硬木椅上
濃濃的龍井一杯
卻難解昨夜酒意

醬油瓜子落花生
外加長壽兩包
——他是知道的
　　這就是他的一切

不　尚有那少年豪情
溢出在霜壓風欺的臉上

偶或橫眉為劍
一聲厲叱　招來些落塵

他是知道的　寂寞是
時過午夜
這茶館的三十個座位
一個挨一個……

原刊於《文藝月刊》第九六期，
一九七七年六月，頁一九〇～一九一

別了，順興茶館

眼看它樓塌了
轟隆一聲走進了歷史
不　它將成為一樁樁心事
分量不輕
壓得人氣喘吁吁
他還是踽踽走來
從寂寞長苔的單人宿舍
手拿一份隔月或隔日的
報紙　外加一根拐杖
　　一些些混濁的酒意

是的　大前年去過洛陽
牡丹花開過也謝了
這話題可得珍惜著
說　說給落塵聽
不　說給自個兒聽

至於那一個挨一個的
三十個座位　在昏花的

老眼裏　就用不著
再去數它　也不用數
昔日的伙伴又弱了幾個

散了吧
散了便也別了
別了歲月
別了中華路
別了　順興茶館

原刊於《聯合報・聯合副刊》，
一九九二年十二月二十二日，第二五版

通化街之什

招牌一
　金寶山西服店
招牌二
　大眾皮鞋公司
招牌三
　魯豫經濟小吃
招牌四
　孤獨的非營利的我

然後是——

招貼一
　吉屋招租水電全……
招貼二
　清潔打蠟除臭服務……
招貼三
　天皇皇地皇皇我家有個夜哭郎……
沒有招貼四
更沒有招貼五　只有

被貼的我在電線桿的
陰影下

然後是街東一個老漢
　　　嚼著檳榔
然後是街西一個婦人
　　　牽著兒郎

然後是塵埃
塵埃中
　是我
　是我之飄飄在天的一些我思
故我在

原刊於《詩宗》第五期，
一九七二年三月，頁六八～七〇

貝魯特變奏

隔壁那條聖提姆街的日出
來遲了二個半時辰
因為今天凌晨
一顆汽車炸彈轟裂了半條街
灰揚塵漫中
百來個死者的靈魂
在那兒依依不去
兩具童屍在殘破的
神壇前擺成
十字架　尚有餘溫
驚叫聲早已切斷
哭泣已不是哀慟的
最後表達
我名叫阿索艾肯
麻木的貝魯特詩人
機械的寫著：

這樣的戲每天都演
這樣的每天都演戲

演戲的每天都這樣
演每天都這樣的戲
戲的每天都這樣演
都這樣演每天的戲
都這樣演戲的每天
被架空在
槍林
彈雨中

原刊於《聯合報・聯合副刊》，
一九八八年六月二十四日，第二一版

自己的寫照

猶未出鞘的一柄劍
陌生於掠殺
也不嗜血

如鼓的陰面
生命的輕嘯　陷在
自己的內裡

從不曾體察
觸握流水而被刺痛的
感覺

且恆與一星螢火
伴唱　即使是一支
無調的歌

尋覓的眼色
帶著倦意　荒在
許多個未完成的情節中

我開放我自己
不論白晝或黑夜
就是那小小一朵⋯⋯
無刺的薔薇

原刊於《中外文學》第一卷第七期，
一九七二年十二月，頁一二〇～一二一
（一九七二年九月九日完成詩作）

家書

屏息　噤聲
讀家書
一遍不夠又一遍
又一遍一遍
總究要流出的淚
就決堤了

那黑字
一粒一粒從紙面
跳出　子彈一般
打入我心坎
總究要呼出的一聲痛
就崩裂了

爾後是麻木
一片灰暗
罩下來
我愕然　呆立
總究要問出的一句話

原刊於《中國時報・人間副刊》，
一九八七年七月二十七日，第八版

附記：接獲親人的家書，竟在四十年後，我能不如此嗎？

台北記事

無須結繩
我用詩記台北之事
從辛亥路七段以降
進城路寬窄不一
有沒有座位無關緊要
要緊的是　在公車上
抓牢吊環　保持冷靜
才可以放縱心眼
想像　一齣齣鬧劇
在這座城的每個地方
演出
如同看一棵棵街樹
在季節的遞變裏
先是緩緩繼而徐徐最後速速的落盡
每一片葉子　或者
在濃濁的煙塵中再現生機
從辛亥路七段以降
無關革不革誰的命

也不涉風月
我冷靜的抓牢吊環
讀著車窗外
台北的片段
越讀　越不解

原刊於《中國時報・人間副刊》，
一九九四年五月十三日，第三九版
（發表時題名〈台北北記事之一〉）

讀報之什

我讀著報
報讀著我
我讀著人類
人類讀著我

我坐著讀報
讀著戰火
我立著讀報
讀著煙燼
我躺著讀報
讀著愛之溺斃
我蹲著讀報
讀著恨之滋生

我讀著我心的激動
在第一版
我讀著我臉的扭曲
在第二版
我讀著我血的沸滾

在第三版
我讀著我手的顫慄
在第四版

我讀著我的兄弟
我讀著我的姊妹
我讀著人類
我竟日讀著
那陌生的日漸疏離的
我的靈魂　問著報紙
我是什麼

讀報的我
讀著我
竟日竟夜地　讀著……

原刊於《詩宗》第五期，
一九七二年三月，頁七〇～七一

雲和街之什

它擺出一個
軟軟的
姿態
帶子似的
癱在
都市一角

每天我都
被這根帶子
纏繞一次
痛與癢
都在
這一纏間

而這無關乎
那婦人的蹓狗
以及垃圾車的叮噹
無關乎那一百多塊
門牌號碼與那幾株

呆立的樹

原刊於《現代詩》復刊號第二期，
一九八二年十月，頁八四～八五

編後記

封德屏

去年元月，辦公室從六樓搬到地下二樓，累積十餘年近百箱的書和資料，非得年輕的同仁幫忙整理不可。但是座位旁一個黑色的提袋，卻跟著我搬遷，提前提後，直到塵埃落定，一切定位，仍放在我視線可及的座位旁。

袋子不重，裡面是詩人辛鬱從二〇一四年一月一日，到二〇一五年四月二十九日逝世前一天，每天的日記，一年又四個月二十八天，共用了五本筆記本；以及辛鬱二〇一四年一月一日到六月十八日，將近半年，一天一首的「輕裝詩」，計一六八首；還有一本傳記，則是辛鬱二〇一四年六月發病後開始寫的〈關於我——聊作小傳〉，兩萬字左右。

四八三天，每天一則日記，病中也未曾停歇。五本不同的筆記本，都是三二開本，一本是幾米插畫〈微笑的魚〉概念筆記本，一本是「台大杜鵑花詩歌節」筆記本，另外兩本是《文訊》舉辦「詩書共舞——台灣現代小詩書法展」，贈送參與詩人、書法家的兩款筆記本。而《輕裝詩》選用的筆記本，顯然是辛鬱特地買的，硬殼，橫式左翻，一天一首，每首多在十行內，一首一頁，講義夾式，可以自由增加頁面（數）。可惜發病後就停了，但辛鬱在當年十二月底，補寫了一段〈後話幾句〉，文字不長，語氣卻有點像在向家人、友朋、讀者交代心願。

辛鬱發病後從醫院回家，沒多久就打電話給我「早些來拿我要送給《文訊》的東西吧！」我難過的說「不急！不急！」，他緩緩的說「沒事，趁我清醒，還可以整理自已的東西，你們不清楚還可以問我」。於是他的手稿、照片，寫好尚未發表的文稿，已發表尚未結集的詩稿、散文稿、評論稿，以及他珍藏的圖書……陸陸續續到了《文訊》的「文藝資料中心」。

讀他的日記、「輕裝詩」，處處感受他對文學對創作的熱情與想法，對家人對朋友的摯愛與眷念。〈關於我——聊作小傳〉，則清楚描寫出生成長、家族至親、求學從軍的種種，細述開始創作、參與文學藝術活動的心路歷程，文末更有對病體的警覺，以及計畫要完成的工作……。日記與小傳都透露他「老驥伏櫪，志在千里」的豪情！

辛鬱是文壇重要作家，又是《創世紀》大將。在熱鬧場合他並不多話，大家起鬨時，最多唱一兩首小曲小調。原本就與他熟識，和《文訊》比較密切往來，是二〇〇八年三月開始，我請他為一伙老友寫些文章，專欄名稱訂為「我們這一伙人」。整整兩年八個月，寫了三十位，寫已過世的以及仍在文壇活躍的作家、詩人，這伙人和他都有半世紀以上的交情。我十分珍惜這種文人寫文人的方式，也因此獲得更多冰冷材料之外的真實，以及他們之間友情的溫暖。正如瘂弦說的，近代史上翻天覆地的大流亡、大動亂，為台灣造就出一批軍中作家、藝術家、學者。這一伙人，成為台灣文學藝術史上特殊的風景，形成了一股文化氣候，這是世界各地從來沒有過的。

二〇一二年七月，辛鬱在《文訊》的專欄集結成書，《我們這一伙人》出版。八月十七日，我們開心的在紀州庵舉辦新書發表會，一伙人，除了過世的十四位，海外的洛夫、瘂弦、張堃外，都來了，一起回憶彼此一甲子的情誼。但造化弄人，辛鬱二〇一五年四月二十九日過世，以前他認真努力寫別人，現在大伙兒懷念他，寫他。《文訊》除了製作紀念專題外，也在辛鬱冥誕六月十三日下午，舉辦「冰河下的暖流——辛鬱追思紀念會」，出版紀念特刊，讓大家的心意，化作千千萬萬的回憶與思念。

這些懷念及書寫，多少減緩了悲傷及思念，但每一觸及他留下的日記、詩稿，尤其是最後遺作的一六八首「輕裝詩」時，都一再被提醒我難辭託付的重責。時間荏苒，眼看辛鬱過世就快三年了，心裡繫念不斷，更加緊繃。但誰來出版呢？宗翰知我記掛之深，向認識多年的林群盛提起，於是「斑馬線文庫」慨然擔起這項工作，大家一致決定在辛鬱過世三週年時出版。劍及履及，在辛鬱夫人張孝惠女士的信任授權下，發稿、校對、排版，迅速展開。

這本辛鬱未發表、未結集的《輕裝詩集》，承詩人魯蛟應允寫序，他和辛鬱的文字結交，早在民國四十九年，辛鬱的第一本詩集《軍曹手記》出版時。文末是我和宗翰分別寫的「編後記」。除了合作伙伴斑馬線的許赫、榮華的用心外，群盛的投入與熱情奉獻，更是完成這本詩集的俠客，相信，這也是過去辛鬱提攜年輕人的善心回報。《輕裝詩集》出版後，有關辛鬱其他未發表、已發表未結集的詩文、傳記或評論文章等，就有了梗概脈絡可循，也有了今後持續整理出版的動力。

謹以此紀念辛鬱逝世三週年。

二〇一八．二．二十文訊辦公室

生活在詩方

——辛鬱遺作《輕裝詩集》編後記

楊宗翰

在《龍變》、《鏡子》、《找鑰匙》與《演出的我》這「辛鬱四書」中，皆有一篇〈寫在前頭〉述及：「我生來不是一個寫作人，結果卻以寫詩、小說、雜文甚至廣播劇本、電視劇本過了大半輩子。」著有散文集《我們這一伙人》的辛鬱，其實最能代表幼時輟學從軍、輾轉渡海來台的「一伙人」，如何在時代、命運與思潮交互衝擊下，成為戰後台灣前衛文學藝術之實踐與守護者。就我觀察與閱讀後的體會，辛鬱在同輩「一伙人」中有三點堪稱出眾：第一，他曾先後加入「現代派」及「創世紀」兩個詩社組織，雖經歷過現代主義洗禮乃至超現實誘惑，但始終沒有放下過對現實的凝望、對生活的穿透、對人／我的思索。第二，他曾執編或主管《創世紀》、《科學月刊》、《人與社會》三份雜誌，允為同輩中唯一橫跨文學藝術、自然科學、社會科學三領域者。一九六八年辛鬱還與羅行、丁文智等人合辦「十月出版社」，次年遇到葛樂里颱風導致倉庫水災，才徹底斷了他的文學出版人之路。第三，他是六〇年代「現代藝術季」重要催生者，也是有軍旅背景的現代詩人中，跟「東方畫會」、「五月畫會」藝術家們最能接軌的一位。辛鬱長於品評鑑賞卻不作畫，自云「生來不是一個寫作人」的他，其實早把文字當作唯一的戰場——這也是辛鬱和楚戈、商禽等人不同處。

我以為僅憑以上三點，便可判斷辛鬱在文藝界與同輩人中的重量。二〇一五年四月二十九日詩人不幸在台北家中逝世，六月十三日由文訊雜誌社主辦追思紀念會暨文學展，《二〇一五台灣詩選》亦特別收錄〈辛鬱詩選〉及主編蕭蕭的專文。被友人稱為「冷公」的辛鬱，冷肅看人間，熱筆書萬象，從文訊編輯部〈辛鬱生平繫年〉可知，年過八十後他依然寫作不輟。比較遺憾的是，迄今仍未見台灣學術界的碩、博士生以辛鬱為研究對象，其人其作的精彩處及代表性顯然還有待深掘。除了研究，另一個遺憾則在出版。「辛鬱四書」中〈寫在前頭〉作於二〇〇三年六月，全篇末段寫道：

《演出的我》更坦白的呈現心聲，這些作品選自我的四本詩集，要說明的是，在《辛鬱世紀詩選》選入的作品，此書都不選，所以，不見了〈豹〉，也不見〈順興茶館所見〉。另外，我從一九九六年迄今的詩作，將另編一本詩集找地方出版。

豈料此願未成，辛鬱生前最後一本詩集便是詩選集《演出的我》，出版距今已逾十五年矣！今（二〇一八）年四月適逢詩人逝世三週年，雖然沒有辦法找齊他一九九六至二〇一五年的未結集詩作，但盼至少可以先印行他自編好的「每日一詩」——那是詩人從二〇一四年首日寫到六月十八日，後因氣喘胸悶入院不得不停筆的一六八首「天鵝之歌」。這批「每日一詩」皆有語淺、句短、記事的共同點，詩人命名其為「輕裝詩」，有〈輕裝詩本貌〉一首：「它從心底浮出／漂在人生水面／有時因為太重／立即鉛沉水底／有時分量太輕／如同灰塵飛天」。雖自云輕裝，卻不避沉重，譬如：「在黑暗中／詩被囚禁而自殘／它的血不見色澤／／有燈亮起／那是以生命油膏點燃的／微光中可見／詩的／血痕」（〈無題〉）。這首〈自我的寫照（二）〉則可謂詩人暮年賦詩述志的代表作：

位置上　始終直挺挺的
在烈陽下　從不藏起身影

沒什麼可怕——包括死
筆禿了　就用手來寫
那些帶刺長角的
字

這僅是我的
本色而已

跟此作首句一樣，詩人在整部《輕裝詩集》中多次使用「直挺挺」一詞，譬如：「你是我心中一座／孤峯　直挺挺的／不理會時間摧殘」（〈遙念——呈已故岳父〉）、「好個漢子／不愧為兵家必爭之地的子孫／總是直挺挺地站上／爭議的風口」（〈贈尉天驄〉）、「枯枝一般你的身／也恍若詩化／在我的面前直挺挺／矗立／／我從多樹多竹的林口來／第一次與你照面／留下直挺挺／枯枝印象」（〈憶武昌街舊事——紀念周夢蝶〉）。這些故人舊友印象中「直挺挺」的狀態，與今日自己老邁的軀體對照，更可見詩人感慨之深。《輕裝詩集》中回憶許世旭、楚戈、羅門等詩友的篇章，多屬輕不起來的心痛之作；另一種疼痛則來自時間的催迫，因為肉體終究無法抗拒隨時間而至的衰老：「時針是時間的刺／刺向各個方向／各種物件上／令萬物／痛」（〈時間的另一面貌〉）。若說還有什麼能勉力抵抗衰老的進逼，應該就是當「冷臉爺爺」看到「三歲孫兒的笑臉」吧！

《輕裝詩集》一書雖經作者生前編定，我還是特意加入了十首選詩，盼能讓年輕讀者更多地認識辛鬱的代表作，進而願意完整回顧這位詩人及其所經歷的時代。這本書能夠順利出版，必須感謝張孝惠女士的信任與封德屏社長的託付，還有「斑馬線文庫」鐵三角許赫、施榮華跟林群盛的支持。特別是我自十七歲結交至今的群盛，為這本前輩遺作付出了許多努力，令人感佩。面對這個一點也不詩意的年代，我們都還相信詩的力量，並恆常懷念那些曾用作品引導眾人認識世界的詩人——謝謝你們。

國家圖書館出版品預行編目（CIP）資料

輕裝詩集 / 辛鬱著 . -- 初版 . -- 新北市 : 斑馬線 ,
2018.04
面；　公分

ISBN 978-986-96060-2-8（平裝）

851.486　　107003917

輕裝詩集

作　者：辛鬱
主　編：封德屏　楊宗翰
裝幀設計：施榮華
視覺設計：林群盛

發 行 人：張仰賢
社　長：許　赫
總　監：林群盛
主　編：施榮華
出 版 者：斑馬線文庫有限公司
法律顧問：林仟雯律師

斑馬線文庫
通訊地址：235新北市中和景平路268號七樓之一
連絡電話：0922542983

製版印刷：龍虎電腦排版股份有限公司
出版日期：2018年4月
ISBN：978-986-96060-2-8
定　價：380元